W9-CPC-994

我会读④

欢欢和乐乐

真果果 著

中国人口出版社

图书在版编目（ＣＩＰ）数据

我会读.4/真果果著.—北京：中国人口出版社，
2009.11
（幼儿初始阅读识字系列）
ISBN 978-7-5101-0273-8

I.我… II.真… III.语文课—阅读教学—学前教育—
教学参考资料 IV.G613.2

中国版本图书馆 CIP 数据核字(2009)第 178290 号

幼儿初始阅读识字·我会读.4

真果果 著

出版发行	中国人口出版社	
印　　刷	北京地大彩印厂	
开　　本	710×1000　1/16	
印　　张	16	
版　　次	2010 年 1 月第 1 版	
印　　次	2010 年 1 月第 1 次印刷	
书　　号	ISBN 978-7-5101-0273-8	
定　　价	40.00 元（全四册）	

社　　长	陶庆军
网　　址	www.rkcbs.net
电子邮箱	rkcbs@126.com
电　　话	(010) 83519390
传　　真	(010) 83519401
地　　址	北京市宣武区广安门南街 80 号中加大厦
邮政编码	100054

版权所有　侵权必究　质量问题　随时退换

huān huān shì yì tiáo gǒu
欢欢是一条狗。

huān huān zhù zài shān pō shang
欢欢住在山坡上。

lè lè shì yì zhī māo
乐乐是一只猫。

lè lè zhù zài sēn lín li
乐乐住在森林里。

huān huān hé lè lè shì hǎo péng you
欢欢和乐乐是好朋友。

yì tiān huān huān qí chē qù zhǎo lè lè
一天，欢欢骑车去找乐乐。

lè lè yě qí chē qù zhǎo huān huān
乐乐也骑车去找欢欢。

huān huān xiān qí zhe chē xià pō
欢欢先骑着车下坡。

huān huān zài qí zhe chē shàng pō
欢欢再骑着车上坡。

lè lè xiān qí zhe chē shàng pō
乐乐先骑着车上坡。

lè lè zài qí zhe chē xià pō
乐乐再骑着车下坡。

bàn lù shang   liǎng gè hǎo péng you xiāng yù le
半路上，两个好朋友相遇了。

zhè zhēn shì tài qiǎo le
这真是太巧了！

huān 欢	tiáo 条	gǒu 狗
shān 山	pō 坡	lè 乐
māo 猫	sēn 森	lín 林
hé 和	péng 朋	yǒu 友

qí	chē	zhǎo
骑	车	找

xiān	zhe	zài
先	着	再

bàn	lù	xiāng
半	路	相

yù	zhēn	qiǎo
遇	真	巧

huān huān yǒu yí liàng hóng sè de xiǎo qì chē
欢欢有一辆红色的小汽车。

kě shì xiǎo qì chē de lún zi diū le
可是，小汽车的轮子丢了。

lè lè yǒu yí liàng huáng sè de dà kǎ chē
乐乐有一辆黄色的大卡车。

bú guò dà kǎ chē de chē xiāng huài le
不过,大卡车的车厢坏了。

huān huān bǎ xiǎo qì chē rēng zài cǎo dì shang
欢欢把小汽车扔在草地上。

lè lè bǎ dà kǎ chē yě rēng zài cǎo dì shang
乐乐把大卡车也扔在草地上。

huān huān de bà ba zài cǎo dì shang jiǎn dào le xiǎo qì chē
欢欢的爸爸在草地上捡到了小汽车

hé dà kǎ chē
和大卡车。

bà ba xiān chāi xià dà kǎ chē de lún zi
爸爸先拆下大卡车的轮子。

bà ba zài bǎ lún zi ān zài xiǎo qì chē shang
爸爸再把轮子安在小汽车上。

dì èr tiān bà ba zhǎo lái huān huān hé lè lè
第二天,爸爸找来欢欢和乐乐。

sòng gěi tā men yí jiàn xīn wán jù
送给他们一件新玩具。

liàng	hóng	sè
辆	红	色

qì	kě	shì
汽	可	是

huáng	kǎ	bú
黄	卡	不

guò	huài	rēng
过	坏	扔

cǎo	dì	shàng
草	地	上

jiǎn	chāi	xià
捡	拆	下

ān	zhǎo	lái
安	找	来

xīn	wán	jù
新	玩	具

风筝和皮球

huān huān zài hé biān fàng fēng zheng
欢欢在河边放风筝。

lè lè zài cǎo dì shang pāi pí qiú
乐乐在草地上拍皮球。

yí zhèn dà fēng chuī guò lái
一阵大风吹过来。

fēng zheng guà dào le dà shù shang
风筝挂到了大树上。

pí qiú gǔn dào le xiǎo hé li
皮球滚到了小河里。

huān huān bú huì pá shù zhàn zài shù xia gān zháo jí
欢欢不会爬树，站在树下干着急。

lè lè bú huì yóu yǒng pā zài hé biān zhí tàn qì
乐乐不会游泳，趴在河边直叹气。

huān huān hé lè lè　　nǐ kàn kan wǒ　　wǒ kàn kan nǐ
欢欢和乐乐,你看看我,我看看你,
xiǎng dào yí gè hǎo zhǔ yi
想到一个好主意。

huān huān tiào dào xiǎo hé li jiǎn huí le pí qiú
欢欢跳到小河里，捡回了皮球。

lè lè pá dào dà shù shàng zhāi xià le fēng zheng
乐乐爬到大树上，摘下了风筝。

guò le yí huì er fēng tíng le
过了一会儿,风停了。

欢欢继续放风筝，乐乐继续拍皮球。

zài
在

hé
河

biān
边

fàng
放

fēng
风

zhēng
筝

pāi
拍

pí
皮

qiú
球

chuī
吹

guà
挂

gǔn
滚

pá 爬	yóu 游	yǒng 泳
zhí 直	tàn 叹	qì 气
hǎo 好	zhǔ 主	yì 意
tiào 跳	dào 到	tíng 停

huān huān yǒu yí kuài piào liang de huái biǎo
欢欢有一块漂亮的怀表。

huān huān dài zhe huái biǎo hé lè lè wán zhuō mí cáng
欢欢戴着怀表和乐乐玩捉迷藏。

tū rán huái biǎo bú jiàn le huān huān hé lè lè jí
突然，怀表不见了。欢欢和乐乐急

de dào chù zhǎo
得到处找。

草地上？没有。

花丛里？没有。

xiǎo hé biān　méi yǒu

小河边？没有。

shù lín li　hái shi méi yǒu

树林里？还是没有。

太累了！欢欢和乐乐躺在大树下休
息，周围静悄悄的。

“滴答，滴答。”欢欢和乐乐突然听到
了怀表的声音。

他们爬起来，顺着声音，在一块大石
头下找到了怀表。

kuài 块	piào 漂	liàng 亮
huái 怀	biǎo 表	tū 突
rán 然	jiàn 见	jí 急
dé 得	chù 处	méi 没

huā
花

cóng
丛

lǐ
里

hái
还

tǎng
躺

dī
滴

dā
答

tīng
听

shēng
声

shùn
顺

shí
石

tóu
头

调皮的小猴子

真晒啊！

huān huān hé lè lè dài zhe mào zi zài cǎo dì shang wán
欢欢和乐乐戴着帽子，在草地上玩。

37

yì zhī xiǎo hóu zi qiǎng zǒu le lè lè de mào zi
一只小猴子抢走了乐乐的帽子。

xiǎo hóu zi pá de zhēn kuài lè lè zhuī bú shàng
小猴子爬得真快，乐乐追不上。

突然，小猴子低下头，看着欢欢。

huān huān jǐn zhāng qǐ lái lián máng yòng shǒu wǔ zhù mào zi
欢欢紧张起来，连忙用手捂住帽子。

xiǎo hóu zi yě gǎn jǐn yòng shǒu wǔ zhù mào zi
小猴子也赶紧用手捂住帽子。

zhè shì zěn me huí shì er
这是怎么回事儿？

huān huānchòng zhe xiǎo hóu zi zuò le yí gè guǐ liǎn
欢欢冲着小猴子做了一个鬼脸。

xiǎo hóu zi yě xué zhe zuò le yí gè guǐ liǎn
小猴子也学着做了一个鬼脸。

huān huān líng jī yí dòng bǎ mào zi rēng zài cǎo dì shang
欢欢灵机一动，把帽子扔在草地上。

xiǎo hóu zi yě bǎ mào zi rēng zài cǎo dì shang
小猴子也把帽子扔在草地上。

哈哈，太棒了！欢欢赶快捡起帽子，
还给了乐乐。

huān huān hé lè lè shǒu lā zhe shǒu huí jiā le
欢欢和乐乐手拉着手，回家了。

xiǎo hóu zi náo náo nǎo dai zěn me yě xiǎng bù míng bai
小猴子挠挠脑袋，怎么也想不明白。

dài	mào	hóu
戴	帽	猴

qiǎng	kuài	zhuī
抢	快	追

jǐn	máng	yòng
紧	忙	用

shǒu	wǔ	zhù
手	捂	住

shì	chòng	zuò
事	冲	做

guǐ	liǎn	xué
鬼	脸	学

líng	jī	náo
灵	机	挠

nǎo	míng	bái
脑	明	白

huān huān hé lè lè jiǎn le yí gè dàn kě bù zhī dào
欢欢和乐乐捡了一个蛋，可不知道

shì shéi de
是谁的？

jī mā ma shuō　　zhè bú shi wǒ de dàn　wǒ de dàn
鸡妈妈说："这不是我的蛋，我的蛋
kě méi zhè me xiǎo
可没这么小。"

yā mā ma shuō　　zhè bú shi wǒ de dàn　wǒ de dàn
鸭妈妈说："这不是我的蛋，我的蛋
dōu zài zhè er　yí gè yě bù shǎo
都在这儿，一个也不少。"

<ruby>过<rt>guò</rt></ruby> <ruby>了<rt>le</rt></ruby> <ruby>几<rt>jǐ</rt></ruby> <ruby>天<rt>tiān</rt></ruby>，<ruby>这<rt>zhè</rt></ruby> <ruby>个<rt>ge</rt></ruby> <ruby>蛋<rt>dàn</rt></ruby> <ruby>裂<rt>liè</rt></ruby> <ruby>开<rt>kāi</rt></ruby> <ruby>一<rt>yí</rt></ruby> <ruby>道<rt>dào</rt></ruby> <ruby>缝<rt>fèng</rt></ruby> <ruby>儿<rt>er</rt></ruby>。

<ruby>从<rt>cóng</rt></ruby> <ruby>里<rt>lǐ</rt></ruby> <ruby>面<rt>miàn</rt></ruby> <ruby>钻<rt>zuān</rt></ruby> <ruby>出<rt>chū</rt></ruby> <ruby>一<rt>yì</rt></ruby> <ruby>只<rt>zhī</rt></ruby> <ruby>小<rt>xiǎo</rt></ruby> <ruby>麻<rt>má</rt></ruby> <ruby>雀<rt>què</rt></ruby>。

xiǎo má què duì zhe huān huān hǎn　　mā ma
小麻雀对着欢欢喊:"妈妈!"
huān huān yáo yáo tóu shuō　　wǒ bú shì nǐ mā ma
欢欢摇摇头说:"我不是你妈妈。"

xiǎo má què duì zhe lè lè hǎn　　mā ma
小麻雀对着乐乐喊:"妈妈!"
lè lè bǎi bǎi shǒu shuō　　wǒ bú shì nǐ mā ma
乐乐摆摆手说:"我不是你妈妈。"

wā
"哇……" xiǎo má què kū le qǐ lái
小麻雀哭了起来。

huān huān shuō　　nǐ mā ma zhù zài nà kē dà shù shang
欢欢说："你妈妈住在那棵大树上，
wǒ men sòng nǐ huí jiā ba
我们送你回家吧。"

lè lè bēi zhe xiǎo má què   pá dào dà shù shang

乐乐背着小麻雀，爬到大树上。

má què mā ma yì bǎ bào zhù le xiǎo má què

麻雀妈妈一把抱住了小麻雀。

gè	dàn	shéi
个	蛋	谁

jī	mā	wǒ
鸡	妈	我

yā	dōu	shǎo
鸭	都	少

jǐ	liè	dào
几	裂	道

fèng
缝

má
麻

què
雀

duì
对

hǎn
喊

nǐ
你

kū
哭

sòng
送

huí
回

jiā
家

bǎ
把

bào
抱

huān huān sī pò le lè lè de bù wá wa lè lè shēng
欢 欢 撕 破 了 乐 乐 的 布 娃 娃，乐 乐 生
qì le
气 了。

lè lè shuāi huài le huān huān de jī qì rén huān huān yě
乐 乐 摔 坏 了 欢 欢 的 机 器 人，欢 欢 也
shēng qì le
生 气 了。

55

56

huān huān dú zì dàng qiū qiān
欢欢独自荡秋千。

lè lè dú zì qù diào yú
乐乐独自去钓鱼。

huān huān zì yán zì yǔ de shuō　　zì jǐ dàng qiū qiān

欢欢自言自语地说:"自己荡秋千,

bù hǎo wán er

不好玩儿。"

lè lè mèn mèn bú lè de shuō　　zì jǐ diào yú zhēn

乐乐闷闷不乐地说:"自己钓鱼,真

méi yì si

没意思。"

於是，乐乐扛着鱼竿去找欢欢。

乐乐对欢欢说："我们还做好朋友吧。"

liǎng gè hǎo péng you yì qǐ wán qiū qiān　　tā men bǎ qiū
两个好朋友一起玩秋千，他们把秋

qiān dàng de gāo gāo de　　zhēn kāi xīn
千荡得高高的，真开心！

pò	bù	wá
破	布	娃

shēng	qì	jī
生	气	机

qì	rén	lǐ
器	人	理

dú	zì	dàng
独	自	荡

qiū	qiān	diào
秋	千	钓

yú	yán	yǔ
鱼	言	语

shuō	jǐ	mèn
说	己	闷

káng	gān	xīn
扛	竿	心